프롤로그

나는 표현 할 줄 모르는 사람이다.

정확히 말해서는 표현을 '안'하는 사람이다.

감정을 억누른다는 건 바다 깊숙이 들어가는 것이다.

바닷속에서 헤엄치다 누군가를 만났다.

그는 내 손을 잡고 바다 위로 헤엄친다.

그리고 나와 그는 육지에 앉아서 파도가 울렁이는

바다를 보며 나 혼자 눈물을 흘린다.

그러면 그는 조용히, 내가 펑펑 울 수 있게 자리에 떠나지

않고 내 옆에 계속 있어 준다.

노을이 지는 걸 보고 나면 그는 다시 자신의 자리로 돌아

간다.

그리고 나는 또다시 바다 깊은 곳에 들어간다.

하지만 괜찮다.

내일이면 그가 와서 또 나를 구해줄 것을 아니까.

그는 나의 키다리 아저씨니까.

프롤로그

1. 키다리 아저씨

찬바람이 불어왔을 때 키다리 아저씨는 나를 감싸주었다.

불행의 풍파가 내게 몰아쳤을 때 나는 그의 안식처에 들어가 그 풍파를 피했다.

물 없는 사막에 그와 함께 있다면 그곳은 나에게 더운 사막인질언정 낙원이 될 수가 있다.

내가 눈물 흘릴 때 내 옆에 앉아서 조용히 나의 울음소리에 귀기울이고 있는 키다리 아저씨다.

지금 알고 있는 거, 그때도 알았았다면 난 분명 '이별'에 대해 배웠을 것이다.

우린 서로 만나지 못해도 난 이것만은 믿는다.

내가 그를 잊지 못한 것처럼 그도 나를 잊지 않았다는 것을.

난 오늘도 만나지도 못하고, 주지도 못하는 편지를 쓴다.

그리고 난 제목에 이것부터 적었다.

나를 성장시켜 준 나의 키다리 아저씨에게

2. 장소

여기 병동에서 안 둘러본 데가 없다.

프로그램실, 나의 방, 그리고 무엇보다 대화를 많이 나눴던
면담실

면담실에서 나는 항상 그와 함께 고민을 나누고, 웃고, 울
던 추억이 가장 많이 담겨 있는 곳이다.

여기서 내가 배운 게 정말 많았다. 하지만 이제는 배우고
싶어도 못 배운다.

가르치는 사람이 없으니.

오늘도 면담실에 들어갔다.

"선생님, 가지 말라고 떼쓴 거 죄송해요"

"저 오늘 걱정할 게 또 생겼어요."

"선생님, 저 울고 싶은데 눈물이 안 나와요."

나 혼자 이렇게 앉아서 떠든다.

앞에는 그 어떤 사람도 없는데.

그와 함께 있을 때 나는 우는 날이 많았다.

하지만 지금도 우는 날이 많다.

혼자 말하고, 혼자 운다.

한때는 쉼터였던 공간이 이제 속절없이 사라졌다.

나는 나의 쉼터를 잃었다.

3. 새로운 세상

참 바쁘기만 했던 고3이였다.

내신 준비 하느라, 대학 고민하느라 나를 돌아보지 못햇다.

그래서 그런지 마음이 참 많이 아팠다. 이런 아픈 내 마음 달래주고 싶어 병원을 찾아갔다.

병원에서 여러 가지 문항을 체크했다.

내 이름이 접수되었고, 화면에서 "토끼님 4번 진료실로 들어가세요."라는 방송 음이 들렸다.

난 그 방송을 따라 4번 방이 있는 쪽으로 갔다.

문을 열까 말까 한참을 고민하며 문손잡이를 꽉 잡다가 문손잡이를 아래로 내리고 진료실로 들어갔다.

처음 보는 남자 선생님임에도 불구하고 갑자기 눈물이 터졌다.

내 앞에는 곽티슈가 있었다.

"무슨 일로 오셨어요?"

주치의는 다정한 말투로 내게 질문을 던졌지만, 너무 긴장한 나머지 주치의에게 답을 던지지 못했다.

주치의는 내가 체크했던 문항들을 보고 이렇게 진단을 내렸다.

우울장애, 불안장애, 공황장애, 수면장애 이 4가지였다.

나는 그동안 이 4가지 병을 안고 공부하고 생활했던 것이었다.

우리는 일주일에 한 번씩 만나기로 했다.

두 번째 만남 때도 말하는 것이 힘들었다.

"말할 수 있을 때, 그때 말하셔도 돼요."

주치의는 웃는 얼굴로 말을 못 한 나를 기다려주셨다.

나는 용기 내서 나의 첫 번째 이야기를 했다.

"저…자해…했어요."

"많이 힘들었구나. 토끼님이 덜 힘들게 약 조정해 줄게요."

그 다정하고 나를 이해한다는 말투에 나는 세 번째 상담 때, 네 번째 상담 때도 몇 개월 동안 하는 상담 때 나는 많이 좋아지지 않았지만, 어느 정도는 내 이야기를 할 수 있게 되었다.

주치의는 나에게 새로운 세상을 선사했다.

4. 리트리버 선생님

나의 병은 점점 더 타들어 갔고, 난 결국엔 입원하기로 했다.

처음 보는 사람들, 내겐 마냥 무서운 사람들이었으나 그들은 서로의 아픔을 나눌 수 있는 환자들이었기에 공포감은 점점 줄어갔다.

그리고 이런 나에게 점점 많은 사람들이 다가왔고, 이곳에서 동갑내기 친구, 성숙한 동생, 귀여운 언니를 만날 수 있었다.

우리 넷은 프로그램실이나, 방, 면담실에서 놀고, 자주 떠들어서 어른들에게 많이 혼나기도 했지만, 이 과정 또한 재미있었다.

여느 때처럼 우리 넷은 프로그램실에서 놀고 있었다.

흰색 가운, 살짝 파마기가 있는 남성분이 누군가를 찾는 모습이 보였다.

그러더니 내게 다가왔다.

"토끼님이시죠? 저는 토끼님의 담당 사회복지사 '리트리버' 입니다. 저희 잠깐 면담 좀 할 수 있을까요?"

나는 고개를 끄덕이며 그를 따라 간호사실에 있는 면담실에 들어왔다.

나랑 동갑인 친구는 자신의 담당 사회복지사 선생님과 자주 면담을 했었고, 재미있어하길래 난 늘 부러워했다.

이제 나에게도 나를 담당해 주는 사회복지사 선생님이 있다는 것이 기뻤다.

하지만 막상 이렇게 같이 앉으니 어색함이 없지 않아 있었다.

마치 내가 처음에 주치의랑 만난 것처럼 어색하고 살짝 불안함이 올라왔다.

리트리버 선생님이 먼저 입을 열었다.

"다시 제 소개를 하자면 제 이름은 '리트리버'이고, 앞으로 토끼님 힘드실 때 면담도 하고, 지원해 줄 수 있는 것 다 지원해 드릴게요!"

선생님의 자기소개가 끝나고 또 다시 정적이 흘렀다..

그리고 또 리트리버 선생님이 입을 열었다.

"토끼님은 면담하면서 말하고 싶은 거나 '이렇게 했으면 좋겠다.'라는 거 있으세요?"

처음 보는 그에게 내가 어떤 이야기를 꺼내야지 마음이 편해질 수 있나 고민하고 나온 답을 그에게 말했다.

"트라우마에서 벗어나는 거요."

어린 시절, 아빠에게 어떻게 아동학대를 당했는지, 겪었던 일들을 그에게 다 털어놨다.

이 이야기가 끝나면 그는 다른 상담사처럼 "많이 힘들었겠네요" 라고 말할 줄 알았다.

"이건 훈육이 아니에요! 아니 훈육이라고 할 수 없어요! 내가 다 화나네"

내 예상과는 달랐다.

그는 계속 책상 위에 두 주먹을 꽉 쥐었다.

자신의 일도 아닌데도 불구하고 자기 일 처럼 화를 냈다.

"토끼님, 그동안 잘 버텨줘서 고마워요."

그의 이런 말에 나는 할 말을 잃었다.

눈에 눈물을 머금을 뿐.

그리고 작은 미소를 지었다.

5. 장거리 레이스

나는 늘 성급했다.

.숨이 찰 줄도 모르고 달리는 것 말고는 할 줄 아는 게 없었다.

그래서 첫 번째 면담에서 우리는 한 가지 약속을 하고 만날 때마다 그 약속을 외치고 상담을 시작한다.

'천천히 가기'

상담 시간에 나는 그에게 다급하게 물었다.

"선생님, 저 병은 언제 다 나을까요? 엄마도 많이 걱정하고 있어요."

"제가 어머님께도 말씀드렸지만 이건 천천히 가야 돼요. 우리는 위로 곡선을 그리는 게 아니라 조금씩, 조금씩 가는 거예요. 우리는 장거리 레이스를 하는 거예요."

"제가 가다가 넘어지면요?"

"제가 일으켜 세워 드릴게요!"

"제가 안 일어나면요?"

"제가 끌고 갈게요!"

나를 절대로 포기하지 않고 함께 손잡고 정상을 찍을 때까지 옆에 있어 주겠다는 의미 같았다.

그리고 그는 정말 자신이 말한 대로 나를 포기하지 않았다.

"그리고 토끼님, 토끼님은 할 수 있어요. 괜찮아요. 그리고 토끼님 잘못 없어요."

내가 늪에 빠지지 않게 늘 나에게 잘못이 없다며 늘 할 수 있다고 얘기했고 그의 말대로 나는 할 수 있는 사람이었다.

키다리 아저씨 덕분에 나는 그가 말한 것보다 더 빨리 위로 갈 수 있었다.

6. 펑펑 울어도 돼요.

그와 상담 할 때 주로 아빠에 대한 이야기를 했다.

더 이상 트라우마에 잡아먹히지 않기 위해 그에게 도움을 받는 중이었다.

그는 내게 이런 말을 하고 나를 울렸다.

"폭력은요 절대로 해서 안 되는 짓이에요. 어떤 이유로든.
그러니까 당연히 토끼님 잘못 없어요."

나는 그의 말에 숨죽여 울었다.

그는 숨죽여 우는 나의 모습을 한참 바라보더니 입을 열었다.

"토끼님, 펑펑 울어도 돼요. 뭐라고 할 사람 없어요. 소리
내서도 울어보고, 크게도 울어보고 다 해도 괜찮아요."

보통은 그냥 휴지를 건네주지만, 그는 내가 모든 것을 토
할 수 있게 크게 울라고 말하였다.

"정말 그래도 돼요?"

"그럼요. 그동안 참았던 거 다 토해내요. 펑펑 울어요."

나는 그 말 듣자마자 모든 것을 토해내서 울었고, 그의 대
로 펑펑 울었다.

이때부터 크게 우는 방법을 알게 되었다.

키다리 아저씨 덕분에 나는 이제 더 이상 참지 않았다.

7. 나 써먹어요.

여기서 친구, 언니, 동생과 함께 수다 떠는 것도 재미있었지만 한 가지 문제가 있다면 여러 사람들과 부딪히게 된다.

그러면 그것에서부터 올라오는 화난 감정이 점점 '우울'로 바뀌고, 그러다 '불안'으로 바뀐다. 나는 불안한 감정을 참지 못하고 간호사실에 가서 면담 요청을 했다.

"저 리트리버 선생님이랑 면담하고 싶어요."

나는 그가 없으면 안 될 정도로 많이 불안했었다.

심장이 곧 터질 판에 다행히 그가 왔다.

나는 거의 일주일에 2~3번은 그를 불렀다.

"자꾸 면담 신청해서 죄송해요."

"아니에요. 괜찮아요."

"우울하거나 불안하면 저도 모르게 선생님을 찾아서 이걸 풀고 싶어요. 하지만 그렇다고 해도 자주 요청하면 안 되겠죠?

"왜요?"

"민폐니까요."

나는 그가 또 괜찮다고 말할 줄 알았지만, 뜻밖의 답이 날아왔다.

"나 써먹어요!"

"네?"

나는 당황스러운 표정으로 그를 바라보았다.

"나 써먹어요! 퇴원할 때가지 나 써먹어요!"

참 지금도 아직 잊지 못하는 말이다.

아니, 어쩌면 평생 잊지 못할 말일 수도 있겠다.

하지만 써먹지 않아도 될 정도로 나는 내 감정을 푸는 법을 자연스레 알게 되었다.

8. 트라우마

트라우마에 아직도 벗어나지 못한 나에게 친구는 자신의
담당 사회 복지사 선생님이 트라우마 치료에 전문이라고,
한번 상담 받아보면 어떠냐고 내게 제안했다.

뭐 나한테 나쁜 게 없으니 알겠다고 하고 그 선생님에게
상담을 요청했고, 다행히 선생님은 내 요청을 받아주셨다.
면담실에서 나와 키다리 아저씨가 아닌 다른 사람과 이곳
에 있은 적은 없다.

정적이 흐르는 중 선생님이 내게 먼저 질문을 했다.

"무엇 때문에 저랑 면담을 원하신 거세요?"

나는 왠지 모르게 선생님 앞에서 입을 떼기가 힘들었다.

선생님은 내가 마음의 문이 열릴 때까지 기다려주셨다.

시간이 한참 흐르고 나는 드디어 입을 열었다.

"트라우마에서 벗어나고 싶은데요…"

그러면서 아빠에게 당했던 일을 이야기 했다.

그 이야기를 다 듣고 선생님은 나에게 종이 한 장을 내밀
었다.

"상자를 앞으로 들면 무겁잖아요. 근데 상자를 가까이 들면
덜 무겁잖아요. 그렇듯이 트라우마는 외면해야 하는 게 아
니라 안고 가야 해요."

나는 그 종이를 받고 방에 들어가 펜을 들고 써보려고 했

다.

고작 4줄밖에 못 쓴 채 펜을 내려놨다.

말할 때는 쉬웠지만 적는 것은 어려웠다.

그리고 죽고 싶다는 생각이 들었다.

고작 글쓰기인데 나는 그걸 못했다.

나는 죽고 싶다는 생각을 잠시 내려놓고 를 불러달라고 간호사실에 가서 면담요청을 했다.

잠시 후, 그가 왔다.

"선생님, 저는 아무 쓰잘데기 없는 사람인가 봐요. 트라우마에 대한 글을 쓰는데 고작 4줄밖에 못 썼어요. 이런 제가 한심해서 죽고 싶어요."

나는 그가 가르쳐준 대로 펑펑 울면서 말했다.

그리고 그는 뭔가를 생각하는지 조용히 있었다가 입을 뗐다.

"토끼님, 우리 걸어요."

나는 그와 천천히 내 방부터, 로비, 그리고 운동기구가 있는 쪽으로 걸어갔다.

그리고 그는 창문을 열고 시원한 공기 바람을 맡으며 내게 말했다.

"자기 자신을 마주 보는데 그렇게 빠른 시간이면 지금 여기 있는 환우분들 다 퇴원하셔도 돼요."

그렇게 말하고 그는 진지하게 나를 바라보았다.

"토끼님, 괜찮아요. 우리 좀 느리게 갑시다. 느리게 가도 괜찮아요. 자기 자신을 기다려주세요. 그리고 우리의 첫 번째 약속 뭐였죠?"

"천천히 가기…"

"그래요 천천히 가요"

"그게 몇십 년이 걸리면요?"

"괜찮아요. 몇십 년이 걸려도. 그동안 너무 자기 자신에게 엄격했잖아요. 이제는 좀 풀어줘요. 자기 자신을 사랑해 줘요. 그리고 토끼님 스스로를 믿어요. 그게 트라우마를 벗어나는 방법이에요."

나는 다시 방에 들어와서 한 줄 더 썼다.

쓰기 힘든 날에는 쓰지 않았다.

그리고 '나는 할 수 있다'라고 믿었다.

1년 후 나는 내 트라우마가 담긴 <나는 빛나는 아동학대 피해자입니다.> 라는 책을 낼 수 있었다.

나의 키다리 아저씨가 이런 말을 해주었기에 나는

날 믿을 수 있다는 믿음도 생겼다.

9. 나의 행복

"토끼님, 잘 지내셨어요?"

면담할 때 늘 하는 질문, 이제는 익숙하다.

이 말을 들으면 나는 늘 "힘들어요.", "우울해요.", "불안해

요.", "걱정이 있어요." 등 부정적인 말만 했다.

하지만 그날은 달랐다.

친구가 방에 있는 할머니랑 싸워서 방 바꾸고 싶다 그렇게

노래를 불렀는데 다행히 방을 바꿀 수 있게 되었다.

아무 문제도 없는 언니를 입원시킨 부모님, 언니는 그것이

항상 스트레스였는데 다행히 퇴원할 수 있게 되었다.

마지막으로 동생은 많이 나을 정도가 되어서 퇴원했다.

그래서 긍정적인 대답을 했다.

"오늘은 행복해요!"

갑자기 긍정적으로 나오니 그 또한 기뻐서 살짝 미소를 띠

고 있었다.

"어떤 일이 있었어요?"

나는 친구, 언니, 동생 이 3명의 일에 대해 말했다.

"토끼님이 행복한 거는요?"

"제가 행복한 거요?"

나는 내 주변 사람들에게 좋은 일들이 생기면 같이 행복해

하곤 했다.

하지만 그는 오직 나를 위한 나만의 행복을 보고 싶어 하시는 거였다.

"다른 사람으로 인해 행복한 거 말고 토끼님만의 행복은요?"

나는 내 행복을 다른 사람에게 샀기에 온전한 내 행복은 없었다.

"없어요…."

"그럼 이제부터라도 토끼님의 행복을 찾아봐요."

"어떻게요?"

"정말 사소한 것도 행복이라고 말할 수 있죠."

사소한 것…. 아 그걸 잊었다.

그와 대화하는 순간

엄마가 간식 주고 창문 아래에서 손 흔들고 해주는 인사

나는 다행히 남의 행복을 사서 행복해할 필요가 없다.

그동안 숨겨졌던 나의 행복을 찾았으니까.

나의 키다리 아저씨 덕분에 나는 행복이

어떤 것인지 알게 되었다.

10. 가장하고 싶은 것

처음에 그를 만났을 때 하고 싶은 것이 '트라우마에 벗어
나기'였다.

하지만 점점 자살 사고가 들기 시작하더니 이젠 내 입에서
'죽음' 이라는 소리 밖에 안 나왔다.

그와 상담 중이었다.

그는 오늘도 내게 "할 수 있어요!"라고 말해준다.

상담 중 그는 나에게 이런 질문을 던졌다.

"토끼님은 지금 뭐가 가장 하고 싶으세요?"

"트라우마에서 벗어나는 거요."

"크…진짜 찡하다!"

그는 감동 받은 듯한 얼굴을 하고선 자신의 코를 잡았다.

"전 토끼님이 '죽음'이라고 답할 줄 알았어요."

'죽음', 늘 입에 달고 산 말이었다.

아, 난 어쩌면 죽음이 아닌 도움을 요청한 걸지도 모른다.

산 끝자락에 있는 날 잡아 달라고 도움을 청한 거지만 어
떻게 표현해야 할지 몰라서 '죽음'으로 표현했나보다.

"토끼님, 한 발 더 내딛으셨네요."

나의 키다리 아저씨 덕분에 지금은 더 한발 한 발 내디딘
수 있었다.

11. 전문가의 조언

너무 우울한 날이었다.

아무것도 할 수 없는 그런 날이었다.

누군가가 나를 불빛이 없는 방에 가둬서 아무것도 보이지 않고 허우적 대고 있었다.

근데 어디선가 연기가 났다.

연기가 비록 좋지 않은 연기였지만 난 그 연기를 따라갔다.

나도 그들처럼 연기를 내뿜고 싶었다.

연기를 내뿜었더니 빛이 조금씩 보이기 시작했다.

난 그 빛을 따라 나갔다.

나가서 친구 방에 들어갔다.

"나 담배 폈어."

친구는 당황스러운 표정으로 나를 쳐다보았다.

"나보고 담배 피우지 말라고 했잖아."

"너무...너무 힘들었어."

"뭐가 힘들었는데?"

"트라우마"

사실 나를 가둬둔 건 나의 트라우마였다.

여전히 벗어 날 수 없는 트라우마다.

친구는 내 손을 덥석 잡더니 나를 어디론가 끌고 갔다.

"이모들한테 조언 받고, 그리고 담배 핀거 혼나야 해."

우리에게 조언도 해주시고, 새로운 것도 알려주고, 어떤 사람이 나쁜 사람인지 알려주고 피하라는 등 이런저런 조언을 자주 했던 기린 이모와 알파카 이모랑은 자주 대화를 나눴다.

나는 그때 그 이모들은 진짜 어른이라고생각했다. 하지만 시간이 지나서 알게 된 것은 그들은 그냥 자신만의 세계에 갇힌 사람들이었다.

"이모들! 토끼 힘들어서 담배 피웠어요!"

"나는 모른다."

알파카 이모는 평소에 자주 담배를 폈기에 나에게 조언을 못 해준 게 아닌가 싶다.

대신 기린 이모가 조언을 해주었다.

그때 그냥 자리를 박차고 일어서야 했는데 그러지 않은 게 후회다.

"힘들어서 담배 피웠다고? 힘든 척 하지마. 난 지금 담배에 화난 게 아니라 네가 관심받으려고 쇼하는 거 같아. 지금이 우울한 것도, 가끔 쓰러지거나 숨 못 쉬는 것도 다 쇼처럼 보여"

그 이모는 나의 아픔을 다 쇼라고 치부해버렸다.

난 죽을까 봐 무서워서 숨을 어떻게든 쉬어 볼려고 노력한 건데.

너무 불안하고 심장이 아파서 쓰러진 건데.

정말 우울했는데.

이모 말에 따르면 나는 내 아픔들을 관객들에게 보여주고 돈 받는 거나 다름이 없다.

이모는 계속해서 말을 더 이어갔지만 나는 들리지 않았다.

"쇼 같다."라는 말에 조용히 눈물만 흘릴 뿐이었다.

너무 충격을 받은 나는 간호사실에 가서 리트리버 선생님과 면담하고 싶다고 말했지만, 불행하게도 그는 출장 가서 못 온다.

나는 샤워실에 가서 흘릴 수 있을 만큼 눈물을 흘렸고, 친구는 울고 있는 나를 발견했다.

"내가 다른 선생님이랑 상담 잡았거든? 나 상담받고 너 도와줄게."

이 순간 친구를 미워해야 할지 고맙다고 해야 할지, 이 두 개의 양가감정이 부딪혔다.

그리고 친구는 여자 선생님이랑 상담받고 있었다.

"저도 같이 상담받으면 안 될까요? 저 너무 힘들어요."

원래 두 명 같이 상담받는건 안 되지만 내 상태가 안 좋아 보여서 결국 나와 친구, 두 명을 상담해 주셨다.

내가 먼저 말을 꺼냈다.

"10년이나 된 트라우마에서 벗어나려면 어떻게 해야 해요?"

"사실 10년이 지나면 치료받기가 엄청나게 오래 걸리거나 치료를 못 할 가능성이 높아요. 이미 10년이 흘러가서."

선생님의 말씀에 나는 할 말을 잃었다.

만약 이 상황이라면 나의 키다리 아저씨는 나에게 어떤 말을 해줬을까?

상담하는 도중 흰색 가운, 파마기가 있는 남성분이분 누군가를 찾는 모습이 보였다.

리트리버 선생님이었다.

나는 문을 박차고 나와서 그를 향해 뛰어갔다.

분명 출장 갔다고 했는데

나는 그의 앞에 주저앉아 울면서 말했다.

"왜 이제 왔어요."

나는 서럽다는 듯이 울었고 그는 내 서러움을 받아주었다.

"미안해요. 이제 와서"

내가 조금 진정이 된 후에야 우리는 상담했다.

나는 오늘 내 감정 상태가 어땠는지, 그리고 기린 이모가 나에게 했던 말을 그에게 전했다.

"기린님 말 많죠? 그것도 정신병인 거 알아요?"

"그리고 기린님이 자기는 온몸에 극심한 통증에 시달린다고 늘 말하잖아요."

맞다. 이모는 온몸이 극심한 통증에 시달려서 여기왔고, 그래서 약이 많은 거라고 하셨다.

"그렇게 아프면 운동도 못해요. 근데 땀까지 내면서 자전거

운동 하잖아요. 진짜로 아픈 사람은 그렇게 해도 엄청나게 아파해요. 그러면 토끼님이 아니라 기린님이 쇼 하고 있는 거잖아요. 그렇죠?"

그의 또 좋은 점 한 가지를 말하라고 하면 그는 넓은 시야를 가지고 있다.

그 넓은 시야로 좁았던 내 시야까지 넓혀준다.

"그리고 다른 사람 조언 듣지 마요. 다 환자고 전문가가 아니잖아요. 전문가인 저를 믿어요."

나중에 퇴원했을 때 나는 전문가도 아닌 사람이 내게 조언을 할 때도 있지만 걸러낼 걸 걸러낼 수 있는 힘이 생겼다.

12. 무시한다.

나는 그 당시 믿고 있는 어른은 알파카 이모와 기린 이모
였다.

이모들이 "이 사람은 이런 성격이고이게 안 좋으니까 친하
게 지내지마."라고 하면 그 말이 진짜인 줄 알고 이모들이
말한 사람들을 멀리하곤 했다.

지금 생각해 보면 다 같은 환자인데 좋고 못되고가 어디
있나.

아침에 기린 이모, 알파카 이모 그리고 동갑내기 친구와
어김없이 프로그램실에서 수다를 떨고 고민을 나누고 있었
다.

그 당시 내가 무슨 고민을 털어놨는지 기억이 잘 안 나지
만 이모들은 내게 이런 말을 했다.

"너는 지금 너만의 세계가 있는데 넌 거기에 갇혀있어."

"넌 그곳을 뚫고 나와야 해."

"선생님 제 세계에서 뚫고 나오려면 어떻게 해야 해요?"
오늘도 어김없이 그와 상담 중이었다.

"토끼님만의 세계요?"

"네. 이모들이 저는 자신의 세계에 나와야 한다고 하셨어
요."

"그분들이 아니라 토끼님이요?"

그는 의아한 표정을 지었다.

나 또한 의아한 표정으로 그를 바라보았다.

그는 왜 거기에 내가 아닌 이모들에게 의문점이 들었을까?

"그분들은 자신들의 세계에 갇혀있으니까, 토끼님에게 그런 시선으로 바라보고 조언 아닌 조언을 해준 거에요."

어른들은 자신만의 세계에 갇혀 있는데 그것도 모르고 나오려고 하지 않는 것이다.

"그분들은 자신이 자신의 세계에 갇혀 있는지 모를걸요?"

그들의 조언은 조언이 아닌 자신의 세계로 들어오라는 뜻이였다.

"그리고 제가 환자가 아닌 전문가의 조언을 들으라고 했죠?"

아 맞다. 진정한 어른이 바로 내 앞에 있는데, 왜 나는 이상한 어른의 조언에 귀기울였던 걸까?

"자 따라 해보세요. 무시한다."

"무시한다?"

"그분들이 뭐 얘기해도 무시하라고요. 자 다시 무시한다!"

"무...무시한다."

난 의기소침한 목소리로 말했다.

"더 크게! 무시한다!"

뭔가 부끄러웠지만 나를 위해 용기를 내어 크게 외쳤다.

"무시한다!"

10번을 크게 외치고 나서야 나는 예쁘게 활짝 핀 꽃처럼 그와 함께 웃을 수 있었다.

키다리 아저씨 덕분에 나는 '어떤 어른이 진정한 어른인가'를 판별하는 능력이 생겼고, 어른 같지 않은 어른들의 이야기는 철저하게 무시할 수 있다.

13. 대학

나는 아직 보호 병동에 있지만 고3이라는 것은 변함없다.

입원하기 전에 울면서 자기소개서도 쓰고, 대학 이리저리 알아보고, 뇌가 꼬이는 것 같았다.

여섯 대학, 그중 4개의 대학이 떨어졌다.

이번만큼은 꼭 붙기를 빌며 '조회' 버튼을 눌렀다.

1%의 희망이 있었는데 그 희망마저 사라져 버렸다.

나는 울면서 내 방으로 들어왔다.

그리고 원래 살짝 금이 가던 컵을 바닥에 던져 깨트렸다.

방에 있던 모든 사람들이 나를 쳐다봤지만 나는 아랑곳하지 않았다.

깨진 컵 조각을 줍고 손목을 정신없이 막 그었다.

피가 뚝 뚝 떨어지는 도중, 누군가 내 두 손목을 잡았다.

올려다보니 나의 키다리 아저씨였다.

그는 내 두 손목을 잡고 간호사실로 갔다.

"이 상처 치료해 주세요."

단호한 그의 모습은 처음이었다.

나에게도 그럴까 봐 드레싱 하는 내내 온몸을 부르르 떨었다.

"토끼님, 우리 면담 좀 할까요?"

다행히 그는 평소처럼 나를 대했다.

면담실에 들어가고 의자에 앉자마자 눈물이 펑펑 쏟아져

내렸다.

말하고 싶어도 숨 때문에 말하지 못했다.

그래도 그는 침착하게 나를 기다려 주었다.

내가 어느 정도 진정이 됐을 때 나를 달래듯이 말했다.

"대학 떨어져서 그런 거예요?"

"네"

"아직 하나 남았잖아요."

"제가 쓴 대학 중에 오늘 결과 나온 대학이 가장 낮은 대

학이었어요."

지원한 대학 중 그나마 낮은 대학이 내가 오늘 떨어진 곳

이였다.

남은 대학은 높은 대학, 난 분명 떨어질 것이다.

"남은 대학은 이 대학보다 높은 대학이니까 당연히 떨어질

거예요."

"아니죠. 그건 모르는 거죠. 근데 다 떨어져도 뭐 어때요.

기회는 계속 있어요."

대학 네임 하나로 인생을 좌지우지하는데 떨어져도 된다는

말에 화가 났다.

"대학 하나로 인생이 바뀐다고요! 제가 다 떨어지면 저의

엄마는요?"

"어머님이 왜요?"

"엄마는 딸 자랑하고 싶어도 자랑 못하고 오히려 고개만

숙일 거예요."

"그럼, 토끼님은 어떤 인생을 살고 싶어요?"

"돈 많이 벌고, 다른사람들이 다 부러워할 직장에 다니는
전문직 여성이요."

"왜 그런 인생을 살고 싶으세요?"

"그럼, 엄마가 떳떳이 고개를 들 수 있으니까요."

"어머님이 그걸 원하시는 게 그거 같아요?"

"네"

"아니에요."

"네?"

"아니라고요. 어머님이 바라신 토끼님 모습은 그게 아니라
고요."

난 내가 엄마에 대해 잘 알고 있다고 생각했었는데 그건
큰 오산이었다."

"어머님은 오래 걸려도 되니까 토끼님이 많이 호전되고 행
복하기만 했으면 좋겠다고 하셨어요. 어머님은 남들이 부
러워하는 삶이 아니라 토끼님이 행복하다고 느낄 수 있는
삶을 원하신 거라고요."

엄마는 예쁜 자신의 딸이 아무것도 안 해도 되니 건강하고
행복한 자신의 딸을 보고 싶은 것이다.

엄마에게 '자랑'은 필요 없는 거였다.

"그리고 대학으로 인생이 바뀌지 않아요. 내가 어떻게 하느

냐에 따라 바뀌는 거에요."

나는 결국 마지막 대학까지 다 떨어졌다.

그때 참 많이 울고, 인생이 바닥을 칠 줄 알았는데 22살도 30살도 40살도 어떤 나이가 되어도 대학 갈 기회는 충분히 있다는 것을 알게 되었다.

원래는 돈 잘 벌 수 있는 경영학과를 지원했었는데 대학 다 떨어지고 21살 때 여러 곳에 일하면서 나는 내 꿈을 찾을 수 있게 되었다.

대학 지원할 때 나는 관심도 없는 경영학과가 아닌 내 꿈을 이룰 수 있는 사회복지학과를 지원했다.

지금은 사회복지학과 학생으로 열심히 대학에 다니고 있다.

그리고 미래의 정신건강사회복지사로서 열심히 공부하고 있다.

아, 여러 가지 일을 하면서 알게 된 건데 대학 네임이 중요한 게 아니라 태도가 중요하다는 걸 배우게 되었다.

14. 병동에서 만나지 말아요.

여름, 가을, 겨울 나는 그 계절들을 키다리 아저씨와 함께
맞이했다.

우는 날이 더 많기는 했지만, 웃을 수 있는 날도 있어서
좋았다.

그와 함께라면 거센 파도도 두렵지 않았다.

11월 겨울이 다가왔다.

나는 이제 이곳을 떠난다.

떠날 때 그는 나에게 이렇게 말했다.

"우리 병동에서 만난 일 없도록 합시다."

나는 이 말의 뜻을 단번에 알았다.

이제는 더 아프지 말라고, 더 힘들어하지 말라고, 잘 지내
라고.

"대신 외래에서 가끔 봐요."

그리고 나는 그가 내민 주먹을 쳤다.

하지만 일주일 뒤 나는 또다시 입원하게 되었다.

15. 걸음마

이 병동을 떠나기 전, 주치의는 나를 붙잡았다.

"토끼님, 12月까지 있으면 더 좋을 것 같아요. 지금 상태 아직 좀 불안정해요."

하지만 나는 싫다고 고집부렸다.

이때 주치의 말을 들었어야 했는데 고집부리는 게 후회다.

집에 있으면서 자꾸 죽고 싶다고 생각했었다.

그러다 나는 식칼을 들어, 내 목을 찌르려다 말았다.

일단 병원에 가서 접수도 안 하고 무작정 주치의의 방문을 열고 앉았다.

주치의는 당황스러운 표정으로 나를 쳐다봤다.

"저 죽으려고 왔고요, 식칼을 들어서 목을 찌르려고 했어요."

주치의는 심각한 표정을 짓고선 문 앞에 있는 의자에 앉으라고 하셨다.

그리고 나는 바로 입원하게 되었다.

다시 보는 이 병동에 그가 보고 싶어졌다.

첫 번째 입원 때, 무슨 일만 있으면 그를 부르곤 했다.

정말 일주일에 2~3번은 꼭 만났던 것 같다.

하지만 이번 입원 때 나는 그를 부르지 않았다.

그동안 그가 내 뒤에 서서 같이 걸었기에 넘어져도 일어날 수 있었다.

하지만 이제는 제 스스로 걸어가는 연습을 하고 싶었다.

넘어지는 날은 많았다.

그래도 포기하지 않고 일어서서 천천히 한걸음, 한 걸음 걸었다.

그래서 두 번째 입원 때는 옛날처럼 그를 많이 부르지 않았다.

다행히 2주 뒤 나는 퇴원할 수 있었다.

16. 화살

퇴원 후 잘 지내고 있었는데 많은 화살이 내게 날아오더니 내 가슴을 쿡 찔렀다.

"자꾸 약 먹으면 약에 의존하게 되는 거 아니야? 하루라도 약 없이 생활해 봐."

"병이 낫기 위한 계획을 짜봤어?"

"이걸 참기 위해 온 힘을 다해서 참아본 적 있어?"

사람들은 나의 작은 노력에 아랑곳하지 않고 계속 노력하라고 말한다.

아직 풀지도 못한 숙제에서 갑자기 어려운 숙제를 하라고 시킨 셈이다.

3주 간격으로 나는 외래에서 그와 함께 고민을 나누고 수다를 떨곤 했다.

그를 만난 날, 난 그에게 내게 꽂힌 화살들을 보여주었다.

"약을 먹는다는 건요, 내가 아프다고 광고하는 게 아니라 도움을 받기 위해 먹는 거에요."

"정신과 약은 의존성이 없고, 실제로 의존성 있는 약은 3~6개월 먹고 쉬어야 하는 게 의존성 있는 약이에요."

"약은 위험하게 빨리 줄이는 게 아니라 천천히, 아주 천천히 줄여나가는 거에요."

"그리고 아니! 그렇게 혼자 참을 수 있으면 정신병원, 상담

센터, 자살예방센터는 왜 있겠어요! 혼자서 이겨 낼 수 있으면 좋겠지만 안되면 도움을 받아야죠."

"계획 짜보라고요? 계획 짜보라고 말하세요! 짜고 말하라고 해요."

그리고 나는 예전에 친구가 주치의에 대한 이야기를 그한테 말했다.

"주치의가 이 병은 완치라는 개념이 없고, 정말 일찍 나아도 5년은 걸린다는 말을 친구에게 말했어요. 친구는 그래도 의사면 환자에게 나을 수 있다는 희망을 줘야 하는 거라고, 그렇게 말하면 안 된다고 말했어요."

"그 말 사실 되게 위험한 말이에요."

"왜요?"

"자 만약 1년밖에 못 사는 암 환자에게 살 수 있다는 희망을 주다가 죽으면요? 그러면 마음이 더 아프잖아요. 이것도 마찬가지예요. 나을 수 있다고 하는데 그게 계속 오래 가면요? 그러니까 그런 말은 함부로 하는 게 아니에요."

그는 내 심장에 꽂힌 화살들을 다 빼주었다.

드디어 심장이 움직이기 시작했다.

지금도 "너 혼자 약 줄여봐." "약 없이 혼자 참는 연습해 봐."라는 조언 아닌 조언을 하곤 하지만 이제 나에게 방패가 생겼고 그런 말에 난 이렇게 반박한다.

"전문가세요? 전문가가 아니면 혼자 판단하지 마세요. 전문가가 괜히 있는 게 아니에요."

17. 모래시계

사는 것은 너무 힘들고, 자해 중독에 빠져 자해를 안 하면 불안한 상태가 되었었다.

어김없이 병원에 가서 선생님께 내 상태를 말씀드렸다.

"저 옥상에도 올라가고, 차도에도 뛰어들고, 계속 자해하게 돼요"

선생님은 내게 약을 조정하고 안정제 맞고 기다리라고 하셨다.

"저 어차피 일요일에 죽을 테니까 약 주지 마세요."

주치의한테 죽을 테니 약 주지 말라고 했다.

"토끼님, 지금 당장 입원하세요. 지금 상태 너무 위험하네요."

그렇게 해서 충동적인 자살 사고로 병원에 일주일 동안 입원했다.

"토끼님, 우리 면담 좀 할까요?"

그가 나에게 먼저 면담 요청하는 일은 드물었기에 나는 의아했다.

그리고 그는 참 야속하게도 이런 말을 했다.

"저 거의 6월 중반쯤에 여기 없어요. 그래서 외래에서 만난다면 1~2번밖에 못 만날 것 같아요."

이 말에 별이 창가에 비추는 밤, 나는 그 별들을 계속해서 바라봤다.

그래도 슬픔은 참을 수 있었다.

퇴원하고 자해 중독과 자살 사고는 나아지지 않았다.

그래서 자해 중독 및 자살 사고로 4번째 입원을 했다.

병동에서 막상 키다리 아저씨를 보니 느껴지기 시작했다.

시간이 빠르게 흘러가고 있다는 것을.

난 매일 디데이를 셌다.

모래시계 위에 있던 모래가 어느새 천천히 사라지고 있었다.

나는 그 모래들을 다시 채우려고 했지만, 무슨 소용이 있는가.

나는 아래로 떨어지는 모래를 바라보는 것 외에 할 수 있는 게 없었다.

그리고 모래들은 다 아래로 내려갔다.

야속하게도 그가 떠나는 날이 왔다.

이 아픔을 뭐로 표현 할 수 있을지 모겠다.

겨우 예쁘게 활짝 핀 꽃이 다시 점점 시들어가는 느낌이었다.

18. 극장치료

매주 금요일마다 '사이코 드라마'라는 극장 치료 프로그램이 있다.

주제에 따라 주인공으로 뽑히거나 지원해서 드라마의 주인공이 될 수 있는 시스템이였다.

선생님은 환자들 한명 한명에게 오늘의 기분 상태를 물어봤다.

그리고 내 차례가 왔다.

"토끼 씨는 오늘 기분이 어때요?"

"아주 아주 슬퍼요."

슬픔을 떠나서 그냥 지금이라도 그를 불러서 예전처럼 그의 앞에 목 놓아 울고 싶은 심정이었다.

"어떤 일이 있었는지 여쭤봐도 될까요?"

"제가 존경하고 좋아하는 제 담당 사회 복지사 선생님이 오늘 퇴사해요."

"아…그런 아픔이…내가 너무너무 좋아했던 복지사 선생님인데 이제 퇴사한다. 참 슬프네요."

참 슬플 정도가 아니라 마음이 텅 비었다.

가슴 속에 아무것도 남지 않았다.

"토끼 씨 이야기 더 듣고 싶은데 오늘의 주인공으로 모셔도 될까요?"

"네"

나는 기운 빠진 목소리로 대답했다.

선생님은 내 앞에 의자를 두었다.

"자 여기서 토끼 씨의 담당 사회복지사 선생님이랑 닮은 사람을 찾아서 모시고 오세요."

나는 이리저리 찾아봤지만, 그 누구도 없던 찰나, 트라우마에 대해 면담해 주신 복지사 선생님이 눈에 띄었다.

나는 그 복지사 선생님을 내 앞에 앉혔다.

"자 이제 토끼 씨가 여기 있는 복지사 선생님을 '나의 담당 사회 복지사선생님이다'라고 생각하고 하고 싶은 말 다 해보세요."

무슨 말부터 꺼내야 하나 고민하다 예전에 그가 "펑펑 울어도 돼요. 아무도 뭐라고 하는 사람 없어요."라는 말이 떠올랐다.

"저에게 펑펑 울어도 된다고, 아무도 뭐라 하지 않는다고 말해주셔서 감사합니다. 선생님 덕분에 크게 우는 법을 배웠어요."

"제가 아동학대 당한 이야기 했을 때 제 잘못 하나도 없다고 말해주셔서 감사합니다. 그 말 덕분에 죄책감이 사라졌어요.

"어떤 이모가 저에게 뭐라고 했을 때 출장 있었는데도 불구하고 제 곁으로 달려와 제 편이 되어주셔서 감사합니다.

그때 선생님이 없었다면 전 죽었을 거에요. 선생님은 절 살린 거나 마찬가지에요."

"제가 성장 할 수 있도록 발판을 만들어 주셔서 감사합니다".

"제가 죽고 싶을 때 저를 붙잡아 주셔서 감사합니다."

"제 행복을 찾아 주셔서 감사합니다."

"그리고 선생님 덕분에 제 꿈을 찾을 수 있었어요."

"나가셔도 잘 지내시고, 저 사회복지사가 될 테니 그때 만나요."

하고 싶은 말, 정말 많았지만, 눈물이 내 입을 막았다.

"자 이제 두 분 자리 바꾸시고 이제 여기 복지사 선생님이 토끼 씨가 되는 거고, 토끼 씨는 토끼 씨의 담당 사회복지사 선생님이라고 생각하고 여기 앞에 있는 토끼 씨한테 하고 싶은 말 해주세요."

나의 키다리 아저씨는 마지막 나에게 무엇을 말해주고 싶어 할까?

고민하다 떠올랐다.

그가 나를 잘 알듯이 나 또한 그를 잘 알고 있다.

"저 잘 지낼 테니 토끼님도 잘 지내세요."

"토끼님 분명 할 수 있으니까 자신감 갖고, 자신 스스로를 믿으세요."

그러면 나에게 꼭 이런 말을 할 것이다.

"자 사회복지사가 될 때까지 몇 년 걸리죠?"

"4년이요."

"자 그러면 저희 2028년으로 갈 건데 토끼 씨가 한발씩 내딛으면 연도도 올라갑니다.

나는 조심스럽게 한 발을 떼다가 예전에 그가 했던 말이 떠올랐다.

"토끼님, 우린 천천히, 아주 천천히 가는거에요."

나는 그 말을 떠올리면서 조심스럽게 한걸음, 한 걸음 걸었다.

2028년까지 왔을 때 선생님은 내 눈을 가렸다.

"눈 뜨지 말고 여기에 서 있으세요."

나는 선생님이 서 있으라고 한 곳에 섰다.

"하나, 둘, 셋 하면 눈 뜨는 겁니다. 자 하나! 둘! 셋!"

나는 천천히 눈을 떴다.

내 앞에는 나의 키다리 아저씨 역할 해주시는 복지사 선생님이 서 계셨다.

"우리 토끼 씨가 훌륭한 사회복지사가 되어서 이곳에서!

우연히 토끼 씨와 선생님 둘이 서로 만났어

요! 자 반갑다는 의미로 서로 안아주세요."

복지사 선생님과 나는 어쩔 줄 몰라서 그냥 서로의 어깨를 감쌌다.

"아니 더 가까이 가서 안아줘야죠. 안 반가워요?"

선생님은 복지사 선생님과 나를 밀었다.

그래서 우리 둘은 어쩌다 보니 엉거 주춤으로 안았다.

만약, 정말 만약 우연히 다시 만나게 된다면 이렇게 안지 않고 주먹 인사로 반갑게 인사 할 것이다.

"자 이제 토끼 씨가 선생님에게 사회복지사가 됐다고 자랑해 보세요."

"선생님, 저 사회복지사가 되었어요."

"자, 복지사 선생님도 한 말씀 해주시죠."

"토끼님, 여기까지 오느라 정말 고생 많으셨어요."

만약 그였다면 다른 답이 나왔을 것이다.

"봐봐요! 된다고 했죠? 우리 다시 만날 수 있다고 했죠? 내 말이 맞잖아."

나에게 이렇게 말했을 것이다.

아, 이 모든 게 현실로 일어난다면 얼마나 좋을까.

만약 이게 꿈이라면 영원히 잠들고 싶다.

그리고 마지막으로 각 환우분들에게 한마디씩 조언을 들었다.

대부분들 시간이 약이라고 하지만 만약 정말 그런 거라면 몇십 년이 흘러도 내 약은 없을 것 같다.

19.이별의 시간

극장 치료 시간이 끝나고 10분 후 그가 나에게 왔다.

참 너무한 사람이다.

나에게 줄 수 있는 모든 것을 주고, 이제 떠나다니.

내가 생각에 잠겨 있는 순간 그는 나에게 작은 선물을 건넸다.

무엇인지는 말할 수 없지만 아주 소중하고 절대로 잃어버려선 안 되는 것이다.

"안 가면 안 돼요?"

나는 장난스럽게 물었다.

"안 돼요."

그도 살짝 장난기 있는 목소리로 답했다.

이젠 더 이상들을 수 없는 장난끼 있는 목소리.

"그럼 전 다른 환우분들한테 인사하러 가볼게요."

그가 문을 열고 나가는 순간, 나는 그를 향해 뛰어가서 그의 옷깃을 꽉 붙잡고 말했다.

"선생님 안 가시면 안돼요?"

"저 많이 호전될 때까지 안 가면 안 돼요?"

"저 사회복지사가 될 때까지 안 가면 안 돼요?"

그렇게 마지막으로 그의 앞에서 펑펑 울다가 그를 놔줬다.

"선생님 저 잊지 마세요."

눈에 눈물이 가득 맺힌 채 그를 바라보았다.

더 이상 바라볼 수 없는 얼굴

"전 토끼님 안 잊을 테니까 토끼님은 저를 잊으세요."

뜻밖의 답이 날아왔다.

지금까지도 그 이유를 잘 모르겠다.

내가 사회복지사가 될 때쯤 알게 되려나?

"저를 잊는 게 좋은 거에요. 그게 우리들의 역할이고, 그리고 이거 토끼님한테만 준 거에요!"

그는 자신을 잊으라고 했지만 난 잊고 싶어도 잊을 수가 없다.

그는 나의 키다리 아저씨였으니까.

그가 복도 문을 열고 떠나는 순간, 나는 목청 터지게 외쳤다.

"잘 지내셔야 해요!"

"저 잊지 마시고요!"

"제 담당 사회복지사가 되어주셔서 감사합니다!"

"제 편지 버리시면 안 돼요!"

그리고 우리는 서로 못 보는 사이가 되었다.

더운 여름이 왔건만 이제 봄, 여름, 가을,

겨울에 난 쓸쓸해질 것 같다.

에필로그

나의 키다리 아저씨 덕분에 나는 더 성장을 할 수 있었다.

실수에도 굴복하지 않고 나 자신에게 조금 더 관대해졌다.

나의 키다리 아저씨가 가르친 행복 덕분에 나는 사소한 것에도 행복해하고 웃을 수 있다.

그리고 엄마와 행복하게 살려고 노력 중이다.

때로는 정말 포기하고 싶을 때도 많았다.

그래도 내 자신을 믿으려고 노력 중이다.

어른들이 가끔 내게 해준 조언들, 거를 거는 거르는 힘이 생겼다.

그는 내 존재 자체를 받아주었고, 내가 빠르게 성장할 수 있도록 이끌어주었다.

오늘도 여전히 키다리 아저씨가 그리워 잠 못 자는 밤이다.

운동기구 있는 쪽의 창문을 바라보며 함께 보냈던 추억들을 떠오르며 하루를 보냈다.

키다리 아저씨가 나를 웃겨주고 싶을 때 지은 미소, 그 미소가 참 그립다.

그저 옆에 있는 것만으로 따스한 위안을 받을 수 있었고 나의 불안함을 눈 녹듯이 녹여주었다.

키다리 아저씨의 웃음은 내게 안도감을 주었다.

단 한 순간만이라도 키다리 아저씨와 내가 서로 뒤바뀌었
으면 좋겠다.

그래야 그가 알 테니까

내가 그를 얼마나 그리워하는지.

그는 나에게 모든 것을 안겨주고, 내가 포기하지 않게 그

저 묵묵히 뒤에서 나와 함께 걸어준

그는 나의 키다리 아저씨다.

나의 키다리 아저씨에게

발 행 | 2024년 07월 23일

저 자 | 천세은

펴낸이 | 한건희

펴낸곳 | 주식회사 부크크

출판사등록 | 2014.07.15.(제2014-16호)

주 소 | 서울특별시 금천구 가산디지털1로 119
SK트윈타워 A동 305호

전 화 | 1670-8316

이메일 | info@bookk.co.kr

ISBN | 979-11-410-9658-8

SCHADENFREUDE

하연

BOOKK